小金鱼
xiǎo jīn yú

小金鱼，穿花衣，
xiǎo jīn yú chuān huā yī

摆尾巴，做游戏。
bǎi wěi ba zuò yóu xì

圆泡泡，吐水里，
yuán pào pao tǔ shuǐ li

一串串，真美丽。
yí chuànchuàn zhēn měi lì

xiǎo xiǎo niǎo
小小鸟

xiǎo xiǎo niǎo　　jiào zhā zhā
小小鸟，叫喳喳，

zhī tóu shang　　hǎn mā ma
枝头上，喊妈妈：

mā ma ya　　wǒ è la
"妈妈呀，我饿啦！

zhuō chóng chong　　wèi wá wa
捉虫虫，喂娃娃。"

6

xiǎo huáng gǒu
小黄狗

xiǎo bǎo bǎo chī ròu rou
小宝宝，吃肉肉，

chī ròu rou rēng gǔ tou
吃肉肉，扔骨头。

rēng gǔ tou hǎn gǒu gou
扔骨头，喊狗狗：

xiǎo huáng gǒu kuài lái yo
"小黄狗，快来哟，

qǐng nǐ chī xiāng gǔ tou
请你吃，香骨头！"

7

大公鸡

大公鸡，真神气，
戴红帽，穿花衣。
抬起头，喔喔啼：
"小宝宝，要早起。"

wō niú
蜗牛

xiǎo fáng zi　　bēi shēnshang
小房子，背身上，

xiǎo chù jiǎo　　huàng ya huàng
小触角，晃呀晃。

xiǎo wō niú　　pá shān gāng
小蜗牛，爬山冈，

yín dào dao　　huà lù shang
银道道，画路上。

11

马 (mǎ)

小白马，旅行家，
(xiǎo bái mǎ, lǚ xíng jiā,)

草原上，呱哒哒。
(cǎo yuánshang, guā dā dā.)

小宝宝，乐哈哈，
(xiǎo bǎo bǎo, lè hā hā,)

招招手，喊小马：
(zhāo zhāo shǒu, hǎn xiǎo mǎ:)

"小白马，停一下，
("xiǎo bái mǎ, tíng yí xià,)

带上我，追云霞。"
(dài shàng wǒ, zhuī yún xiá.")

niú
牛

大黄牛，哞哞叫，
dà huáng niú　mōu mōu jiào

走起路，尾巴摇。
zǒu qǐ lù　wěi ba yáo

山坡上，吃青草，
shān pō shang　chī qīng cǎo

会耕地，最勤劳。
huì gēng dì　zuì qín láo

13

xiǎo mián yáng
小绵羊

xiǎo mián yáng　　　pí qì hǎo
小绵羊，　脾气好，
juǎn máo mao　　　wān wān jiǎo
卷毛毛，　弯弯角。
cǎo dì shang　　　chī qīng cǎo
草地上，　吃青草，
chī bǎo le　　　miē miē jiào
吃饱了，　咩咩叫。

14

狮子
shī zi

小狮子，真可爱，
xiǎo shī zi　zhēn kě ài

草原上，跑得快。
cǎo yuánshang　pǎo de kuài

毛围巾，脖上戴，
máo wéi jīn　bó shang dài

不让洗，不爱摘。
bú ràng xǐ　bú ài zhāi

17

qīng wā
青蛙

xiǎo qīng wā　　dà zuǐ ba
小青蛙，　大嘴巴，
zhuō hài chóng　běn lǐng dà
捉害虫，　本领大。
chàng qǐ gē　　guā guā guā
唱起歌，　呱呱呱，
bái dù pí　　　gǔ yuán la
白肚皮，　鼓圆啦！

18

猴子
hóu zi

悠悠荡，荡悠悠，
yōu yōu dàng　　dàng yōu yōu

小猴子，挂枝头。
xiǎo hóu zi　　guà zhī tóu

甜香蕉，吃个够，
tián xiāng jiāo　　chī gè gòu

水蜜桃，拿在手。
shuǐ mì táo　　ná zài shǒu

哎哟哟，不小心，
āi yō yō　　bù xiǎo xīn

栽了一个大跟头。
zāi le yí gè dà gēn tou

shé
蛇

xiǎo huā shé　　pī lín jiǎ
小花蛇，披鳞甲，

zhāng dà zuǐ　　màn màn pá
张大嘴，慢慢爬。

xiǎo lǎo shǔ　　jiàn dào tā
小老鼠，见到它，

cēng cēng cēng　　táo pǎo la
噌噌噌，逃跑啦！

20

花蝴蝶

huā hú dié　　　ài wǔ dǎo
花蝴蝶，爱舞蹈，

huā cóngzhōng　　qīng qīng tiào
花丛中，轻轻跳。

huā ér xiào　　　yè ér yáo
花儿笑，叶儿摇，

dōu kuā tā　　　tiào de hǎo
都夸它，跳得好。

23

xiǎo qīng tíng
小蜻蜓

xiǎo qīng tíng　　zhēn shén qì
小蜻蜓，　　真神气，

zhǎn chì bǎng　　xiàng fēi jī
展翅膀，　　像飞机。

fēi ya fēi　　jù yì qǐ
飞呀飞，　　聚一起，

zài shuǐ biān　　zuò yóu xì
在水边，　　做游戏。

24

méi huā lù
梅花鹿

lù wá wa　　zhēn qí guài
鹿娃娃，真奇怪，

shù chà cha　　tóu shang dài
树杈杈，头上戴。

duǒ duǒ huā　　shēnshang kāi
朵朵花，身上开，

xiǎo xiǎo huā duǒ kāi bú bài
小小花朵开不败。

小白象

小白象，真漂亮，
弯鼻子，卷又长。
吸满水，浇身上，
洗个澡，真清爽。

26

猎豹
liè bào

小猎豹，花衣袍，
xiǎo liè bào　huā yī páo

爱运动，练奔跑。
ài yùn dòng　liàn bēn pǎo

跑完了，扬脸笑：
pǎo wán le　yáng liǎn xiào

"赛跑本领我最高。"
sài pǎo běn lǐng wǒ zuì gāo

27

蜜蜂
mì fēng

采花蜜， 造蜂房，
cǎi huā mì　　zào fēng fáng

小蜜蜂， 可真忙。
xiǎo mì fēng　　kě zhēn máng

嗡嗡嗡， 把歌唱，
wēngwēngwēng　　bǎ gē chàng

爱劳动， 本领强。
ài láo dòng　　běn lǐng qiáng

lǎo shǔ
老鼠

xiǎo lǎo shǔ   mén yá dà
小老鼠，门牙大，

yuán ěr duo   cháng wěi ba
圆耳朵，长尾巴。

bú pà hēi   bú pà shuǐ
不怕黑，不怕水，

jiù pà māo ér lái zhuī tā
就怕猫儿来追它。

29

松鼠
sōng shǔ

小松鼠， 尾巴大，
xiǎo sōng shǔ　wěi ba dà

松又软， 轻又滑。
sōng yòu ruǎn　qīng yòu huá

冬天到， 飘雪花，
dōng tiān dào　piāo xuě huā

小松鼠， 卷尾巴，
xiǎo sōng shǔ　juǎn wěi ba

当棉被， 不冷啦！
dàng mián bèi　bù lěng la

小狐狸
xiǎo hú li

小狐狸，真狡猾，
xiǎo hú li　　zhēn jiǎo huá

钻篱笆，要干啥？
zuān lí ba　　yào gàn shá

鸡妈妈，不在家，
jī mā ma　　bú zài jiā

它要偷吃鸡娃娃。
tā yào tōu chī jī wá wa

qiū yǐn
蚯蚓

小蚯蚓， 钻地洞，
xiǎo qiū yǐn   zuān dì dòng

泥土里， 拱呀拱。
ní tǔ li   gǒng ya gǒng

黑土壤， 松一松，
hēi tǔ rǎng   sōng yì sōng

增肥料， 添营养，
zēng féi liào   tiān yíng yǎng

朵朵花， 露笑容。
duǒ duǒ huā   lòu xiào róng

小蚂蚁
xiǎo mǎ yǐ

绿树叶，当小船，
lǜ shù yè　dàng xiǎo chuán

小蚂蚁，船上玩。
xiǎo mǎ yǐ　chuán shang wán

小小草，做成帆，
xiǎo xiǎo cǎo　zuò chéng fān

湖水里，转一转。
hú shuǐ li　zhuàn yí zhuàn

33

小孔雀
xiǎo kǒng què

xiǎo kǒng què　　zhēn hǎo kàn
小孔雀，　真好看，

chuān huā yī　　dài huā guān
穿花衣，　戴花冠。

cháng wěi ba　　zhēn xiān yàn
长尾巴，　真鲜艳，

kāi le píng　　xiàng cǎi shàn
开了屏，　像彩扇。

xiǎo zāng zhū
小脏猪

xiǎo zāng zhū　　lǎn bǎo bǎo
小脏猪，懒宝宝，

ài shuì jiào　　bù xǐ zǎo
爱睡觉，不洗澡。

zhū mā ma　　bǎ tā bào
猪妈妈，把它抱，

hé shuǐ li　　xǐ gè zǎo
河水里，洗个澡，

xiǎo zāng zhū　　biàn bái liǎo
小脏猪，变白了。

35

骆驼 (luò tuo)

两座山 (liǎng zuò shān)，背上长 (bèi shang zhǎng)，
能储水 (néng chǔ shuǐ)，能运粮 (néng yùn liáng)。
大骆驼 (dà luò tuo)，本领强 (běn lǐng qiáng)，
沙漠里 (shā mò li)，行路忙 (xíng lù máng)。

36

māo tóu yīng
猫头鹰

yuè ér wān　　yuè ér liàng
月儿弯，月儿亮，

māo tóu yīng　　zhàn shù shang
猫头鹰，站树上。

zhuō tián shǔ　　běn lǐng qiáng
捉田鼠，本领强，

hù zhuāng jia　　tā zuì bàng
护庄稼，它最棒。

37

啄木鸟
zhuó mù niǎo

树娃娃，生病了，
shù wá wa　shēngbìng le

啄木鸟，飞来了。
zhuó mù niǎo　fēi lái le

啄一啄，敲一敲，
zhuó yì zhuó　qiāo yì qiāo

小虫虫，无处逃。
xiǎo chóngchong　wú chù táo

38

长颈鹿

cháng jǐng lù

长颈鹿，长得高，

chī shù yè   chī qīng cǎo

吃树叶，吃青草。

xiǎo bǎo bǎo   tiào ya tiào

小宝宝，跳呀跳，

yào hé tā   bǐ bǐ gāo

要和它，比比高。

yīng wǔ
鹦鹉

xiǎo yīng wǔ　　　wān zuǐ ba
小 鹦 鹉，弯 嘴 巴，

bù láo dòng　　　ài xué huà
不 劳 动，爱 学 话。

nǐ shuō shá　　　tā shuō shá
你 说 啥，它 说 啥，

xiǎo bǎo bǎo　　　bù lǐ tā
小 宝 宝，不 理 它。

40

dà páng xiè
大螃蟹

dà páng xiè　　　qián zi dà
大螃蟹，钳子大，
héng zhe pá　　shuō qǐ huà
横着爬，说起话：
tiān bú pà　　dì bú pà
"天不怕，地不怕，
shéi rě wǒ　　jiù jiā tā
谁惹我，就夹它。"

41

乌龟 wū guī

小乌龟，晃悠悠，
xiǎo wū guī　huàng yōu yōu

硬壳壳，背着走。
yìng ké ke　bēi zhe zǒu

探出头，去遛遛，
tàn chū tóu　qù liù liu

岸边爬，水里游。
àn biān pá　shuǐ li yóu

42

xióng māo
熊猫

大熊猫，真可爱，
dà xióng māo　zhēn kě ài

黑眼镜，戴一戴。
hēi yǎn jìng　dài yí dài

不吃米，不吃菜，
bù chī mǐ　bù chī cài

绿竹子，它最爱。
lǜ zhú zi　tā zuì ài

43

企鹅 qǐ é

白肚兜，黑衣裳，
bái dù dōu　hēi yī shang

小企鹅，真漂亮。
xiǎo qǐ é　zhēn piào liang

雪地上，展翅膀，
xuě dì shang　zhǎn chì bǎng

练滑翔，本领棒。
liàn huá xiáng　běn lǐng bàng

zhī liǎo
知了

xià tiān dào　　huā ér xiào
夏天到，花儿笑，

xiǎo zhī liǎo　　bù tíng jiào
小知了，不停叫。

xiǎo bǎo bǎo　　chī chī xiào
小宝宝，嗤嗤笑：

shén me shì　　dōu zhī dào
"什么事，都知道？"

45

袋鼠
dài shǔ

育儿袋，像小房，
yù ér dài　xiàng xiǎo fáng

小袋鼠，里面藏。
xiǎo dài shǔ　lǐ miàn cáng

小袋鼠，快快长，
xiǎo dài shǔ　kuài kuài zhǎng

跟妈妈，走四方。
gēn mā ma　zǒu sì fāng

北极熊
běi jí xióng

dài bái mào　　chuān bái yī
戴白帽，穿白衣，

běi jí xióng　　zhēn měi lì
北极熊，真美丽。

bú pà lěng　　zhù běi jí
不怕冷，住北极，

ài yóu yǒng　　ài zhuō yú
爱游泳，爱捉鱼。

47

图书在版编目（CIP）数据

3字儿歌·动物 / 兰洋著. —北京：中国人口出版社，
2008.1
　ISBN 978-7-80202-682-7

　Ⅰ.3… Ⅱ.兰… Ⅲ.儿歌－学前教育－教学参考资料
Ⅳ.G613.2

中国版本图书馆CIP数据核字（2007）第183739号

3字儿歌·动物

兰洋　著

出版发行	中国人口出版社
印　　刷	陕西金和印务有限公司
开　　本	889×1194　1/24
印　　张	2
字　　数	5千字
版　　次	2008年1月第1版
印　　次	2008年1月第1次印刷
书　　号	ISBN 978-7-80202-682-7/G·367
定　　价	35.20元（全四册）

社　　长	陶庆军
电子信箱	chinapphouse@163.net
电　　话	(010)83519390
传　　真	(010)83519401
地　　址	北京市宣武区广安门南街80号中加大厦
邮　　编	100054